감사합니다 ♡

Rino

황제의
외동딸

Daughter of the Emperor

황제의
외동딸

12

만화 리노

원작 윤슬

D&C
WEBTOON BiZ

※카카오페이지에서 독점 연재된 '제198화~제213화' 편집본입니다.
※작가와의 협의에 의해 인지는 생략합니다.

Contents 12

황제의 외동딸

Tell me why you did it (1)

황제의
외동딸

항상 사랑한다는
말을 하는 건
나였다.

아빠,
사랑해!

그게 싫거나
서운한 건 아니었지만
항상 아쉬운
마음은 있었어.

나도.

아빠도 매번
대꾸는
해 줬지만,

그저 의례적인
대답이 아닐까
남몰래 고민하기도
했었고.

아빠가 먼저
사랑한다는
말을 해 준 건

이번이
처음이었는데.

이렇게 마지막의
마지막까지 와서
그런 말을 하는 게
어디 있어.

이건
반칙이잖아.

아빠······.

와락

......

토닥

아버지께서
기다리고 계셔.

페르델은
지금 뭐 해?

페르델이?

그러고 보니
지금 아그리젠트는
괜찮은 걸까.

이것저것.
하지만 제일 중요한 건
네가 와야
처리할 수 있대.

지금은
그런 말을 들어도
전혀 기쁘지 않아.

이 나라도,
자기 목숨도, 심지어
자신의 복수조차

...안 말렸어?

공주님에 비하면
아무것도
아닐 테니.

말렸습니다.

다만 말린다고
들을 놈이 아니지
않습니까?

알긴 알지만......
이럴 바엔 그냥 내가
거기서 죽는 게 나았어.

이렇게 지옥 같은
기분을 느끼며 살 바에는
차라리 내가 죽는 쪽이.

이 모든 게
나 때문에
벌어진 일 같아.

제가 갑자기
잘리는 바람에
재상 자리가
비어 있습니다.

카이텔이 절
해면시키기만 하고
국정을 맡길 후임은
안 뽑았거든요.

풋

이런 상황에서도
웃음이 나오는구나.
좀 어이없네.

일단 급한 일은
제가 처리하겠으나
공주님의 인가가
필요합니다.

인허할게.
좀 부탁해.

페르델이
하지 않겠다고 했어도
어차피 억지로 맡길
생각이었으니까.

너무
걱정하지 마세요.
공주님을 두고 죽을
놈은 아니니.

황제의
외동딸

사경을 헤매시는 중입니다.

일단 응급처치는 끝났습니다만, 의식을 되찾지 못하고 계십니다.

그게 대체 무슨…….

정확히 오늘 밤이 고비이니 일단 마음의 준비를 하시는 게…….

이럴 수는 없어.

안 돼.

아빠! 아빠! 눈 떠. 나 때문에 죽으면 안 돼…….

좀 일어나 봐.

마음의 준비라니, 그게 무슨 소리야.

아빠가 그렇게나 구하려던 딸이 바로 옆에 있잖아!

아빠는 늘 나에게
절대 무너지지 않는
산 같은 존재였다.

그런 산이
없어진다는 건
상상조차 할 수 없어.

어디에서 돌아봐도
언제나 그 자리를
지켜 주는 듬직한 산.

아빠,
좀 일어나 봐.
꼴이 이게 뭐야.

혼수상태라니…
정말 안
어울린다고.

……죽을 줄
알았어.

눈물 없인
못 봐 주겠군.

무너지는
건물을 보면서

건물 자체가
무너졌으니까.

절대 저 안에서
누군가가 살아 나올
수는 없을 거라고
절망했는데.

할 수만 있다면
내가 대신……

드란스테……

차라리
내가 저기
누워 있었으면.

살려 줘.

이런다고 정말
카이텔을 살릴 어떤 방법이
갑자기 하늘에서
뚝 떨어질 거란 생각은
하지 않지만,

술 렁..

어디 계신다는
거지?

드란스테 님?

두리번

드란스테,
살려 줘, 제발!

뭐라도 하고 싶어.
그게 애원하는 거든
구걸하는 것이든 뭐든.

황제의
외동딸

의식이 돌아오지 않은 이상
언제 죽을지 모른다고 했어.

……

그러니 마음의
준비를 하라고…….

이대로
아빠가 죽으면
나 혼자 남게
되는 건가.

외동딸이라는 게
이럴 땐
쉽지만은 않구나.

하나 있어.

흠칫

카이텔을
깨어나게 할 수
있는 방법.

……!

그럼……
살 수 있어?

이건 시간
싸움이니까.

아마도.

뚜벅

뚜벅

아마 오늘내일 안에
일어나지 못하면
영원히 눈을 뜰 수
없을지도 모르지.

물론 결정은
네 몫이야,
리아.

할래.

안 됩니다!
만약 공주님마저
잘못되신다면
저희는…….

아무리
우리 아빠라지만
정말 무모했다고.
누가 그런 곳에
와 달래?

아빠도
위험했잖아.

그래 놓고 혼자
멋대로 다치기나
하고…….

원망하는 건 아니야.
내가 어찌 감히
아빠를 원망하겠어.

원망스러운 건 오히려
한없이 보호 받기만 하는
나 자신.

꽉

더 이상
무기력함 따위
느끼고 싶지
않으니까.

갈래.
나도 할 거야.

공주님…….

적어도
내가 할 수 있는 건
다 해 볼 거야.

후계 문제니 뭐니 하면서 말릴 거라고 생각했는데.

아버지를 그냥 이대로 보낼 순 없는 거겠죠, 공주님?

......응. 이해해 줘서 고마워.

하....... 그 아버지에 그 딸이라더니.

그건 그렇지만......

좋아, 도와주지.

정말 도와주는 거야?

어? 진짜?

나도 카이텔이 이대로 죽는 건 싫거든. 재미없잖아.

너무 쉬운데...... 설마 다른 꿍꿍이 있는 건 아니겠지?

Tell me why you did it (2)

황제의
외동딸

마치 무언가에
빨려 들어가듯

심연 속으로
가라앉는
느낌이다.

네 몸은
잠든 상태가 될 거야.
꿈을 꾸는 거니까.

그게 네 꿈이 아니라
남의 꿈이라는 게
문제지만.

이건……
드란스테
목소리?

아는 목소리가
아니었으면
하늘에서 누군가가
계시라도 내리는 줄
알았겠네.

꿈속은 엉망진창일 거야.
카이텔의 기억이나 생각,
혹은 소망이나 두려움 같은 게
얽혀서 나타날 테니까.

그럼 혹시
괴물 같은 것도
나올 수 있다는
소리인가?

억, 그건 좀
무서운데.

거기서 네가
해야 할 건 카이텔을
찾아서 돌아오는 거다.
쉽진 않을 거야.

꿈속엔 수많은
카이텔이 있을 테니까.
어쩌면 모든 게 진짜처럼
느껴질지도 모르지.

여긴
어디지?

그냥 잠드는
느낌일
거라더니……

몸에 힘이
하나도 없네.

아니 근데,

왜 이렇게
추워!

꿈이라며!
이렇게 리얼해도
되는 거야?

이런 것까지
섬세하지 말라고!

보아하니 여긴 한겨울의
황궁 같은데……

현실이랑
너무 똑같다.

드란스테가 미리
경고해 주지 않았다면
이게 진짜라고
착각했을 것 같아.

그래도……

겨울나무는
아름답구나.
실재하는 게
아니라고 해도.

이런 시린 겨울날의
겨울나무를 마주하면
자연스레 떠오르는 건.

처음 만났을 때
이 겨울나무에 기대
소리 죽여
울고 있었지.

아냐, 지금은
아빠를 찾는 게
더 급한걸!

그런데
어떻게 찾지?

아시시…….

일단 다른 곳으로
움직여 볼까.

아시시도
이 꿈의 어딘가에
있을까?

우왓!

깜짝이야,
귀신인 줄
알았네.

안녕,
꼬마야?

음... 일단 친근감을
유발해 보려 했는데,
요새 이게
영 안 먹히네.

뭐냐,
그 표정은?

왜 그렇게
고깝게
쳐다보실까.

꼬마야, 누나
웃고 있잖니?
너도 웃어 보는 게
어때?

……

그나저나 어쩐지
익숙한 느낌이 드는 게
슬슬 기분이 더러운데?

어디선가
이 기분을 느껴
본 것 같아.

혼자 뭐 하세요? 황자님.

잠깐.

어째 외모가 많이 익숙하다 했는데.

혹시 아빠?!

날이 추우니 어서 들어오세요.

어? 황자님? 이 꼬맹이가??

설마? 아니, 이건 정말 설마 하는 거지만……

알았어.

으응? 그냥 모른 척하셔도 되는데 말입니다.

이대로 신원불명으로 찍히면……

이 상황을 어떻게 넘겨야 하는 거지?

어머, 근데 그 아가씨는 누구죠?

어, 저기 그게.

왠지 여기서 쫓겨날 것만 같은 예감적 예감이 드는데.

정신을 차려 보니
나는 졸지에 시녀가
되어 버렸다.

뭐지, 이
급전개는.

그나저나
고작 몇십 년 전인데
황궁의 모습이
내가 아는 것과는
많이 다르네.

특히 아빠가 사는,
구석에 처박힌
이 궁은.

작다…
작아도 너무
작아.

게다가 외진 쪽에
콕 박혀 있어서
누가 마음먹고
찾아오는 것 아니면
근처도 지나기 힘들겠어.

……어쩌다
끌려오긴 했지만
나는 진짜 아빠를
찾아야 하는 몸.

만약 진짜 아빠가
맞다고 해도 문제야.

어린 아빠를
찾긴 했는데 저게 진짜
내 아빠인지 아닌지
어떻게 알지?

저 아빠를
어떻게 설득해서
데려간담.

좀 이상한
일이긴 해.

게다가
시녀들 인상도
영 흐릿하고……

얼굴이 찰흙처럼
뭉개져 보인달까.

대개 식사를
챙기는 건,

황족의 지근거리에 있는
몇몇 상위 시녀에게
일임된 일인데.

그나저나
식당도 정말
작구나.

궁도 손바닥만 하더니
식당도 손바닥만 하네.

잘 씻고
오셨나요?

어.

그럼 어서
식사하세요.

잠이 안 와.

잠깐 돌아보고 올까.

꿈이라는 걸 자각하고 있어서인지 잠이 오질 않네.

피곤하다는 느낌도 없고.

지금 시간에 나다니면 수상해 보이겠지만.

걸리면 화장실 가다가 길을 헤맸다고 하지, 뭐.

······나중에 이 궁이 불타오르고, 사람들이 죽고······ 그렇게 되는 건가.

이미 결말을 알고 있어서 그런지 기분이 묘하다.

꿈속이라 비현실적일 줄 알았는데, 시간의 흐름은 의외로 정상적인 느낌이야.

현실과 헷갈릴 정도로 모든 게 똑같고······

이래서 꿈에서 못 헤어 나오는 건가.

뭐, 어린 아빠를 볼 수
있었다는 것만으로도
이곳에 들어온 보람은
차고 넘치지만.

말도 없고
별 귀여성 없는
꼬맹이인데도

자꾸 눈길이
간다는 게 신기해.

아빠에겐
나를 사로잡는
마력이라도
있는 걸까?

하지만······
솔직히 안쓰럽기도
하다.

아빠는
이런 어린 시절을
보냈구나, 싶어서.

직접 와서 보니
아빠가 왜 그렇게 황궁을
싫어하는 건지 조금은
알 것도 같아.

나라도
이런 데서 자랐으면
삐뚤어졌겠다.

아니, 정말로
이 시기의 황궁은
분위기가 이상해.

연일 연회가 열리고
다들 흥청망청 놀기만
하는 데다가······

다섯 살짜리 꼬맹이가
혼자 살고 있는 궁에는
아무도 관심을
기울이지 않는다.

심지어 유일한
적통 황자인데도.

귀족들이 찾아오지
않는 건 그렇다 쳐도
엄마, 아빠는 좀 보러 와야
하는 거 아니야?

내가 다
화가 난다.

한창 사고 치며
돌아다닐 나이인데
온종일 궁에서 혼자
조용히 지내고,

황자님은
정원이 좋으신가
봐요.

다섯 살이면 아직
부모님의 사랑이
필요할 나이인데.

그나마
밖에 나오는 게
정원 산책 정도라니.

물론 희사원은 나도
좋아하는 곳이지만……

아니, 딱히
좋아하지 않아.

…….

죄송합니다.
나대지
않을게요.

응?
의외로 순순히
대답해 주잖아?

근데 왜 자꾸 여기로 오세요?

말이 별로 없는 점은 똑같은데 묘하게 순하단 말이지.

그게 낯설어서 조금 신기해.

순순한 카이텔이라니!

여기가 그나마 나으니까.

헉

으응......?

그건 그렇고,

모처럼 무도회에 참석한 건 좋은데.

두리번

왜 시작한 지 십 분도 안 돼서 이런 구석 자리에 처박혀 있는 거지?

심지어 이런 카이텔을 아무도 신경 쓰지 않는 데다가......

묘하게 없는 사람 취급을 하는 느낌?

귀족들이 신기해? 왜 그렇게 열심히 쳐다봐?

그냥.

없는 인간으로
만들고 싶겠지.
잘 알아.

싫지 않아?

다들 너를
없는 사람 취급하는
것 같아서……요.

아, 이런.
너무 편해서 반말이
나와 버렸네.

딱히 개의치 않아
하는 것 같지만.

……저게
다섯 살짜리 입에서
튀어나올 소리란
말인가.

왕의 자식인데도
없는 취급을
받는다는 게
이해가 안 돼.

나는 아빠의
한없는 관심과 애정을
독차지하며 자랐는데.

싫으면
어쩌겠어?

내가 무언가를
하기 시작하면
날 싫어하는 사람들이
더 늘어날 거야.

그냥 이대로
있는 게 나아.
없는 사람 취급받으면서
살고 있으면 아무도 날
건드리지 않을 테니.

왜 그런 말을
하는 거야?
안쓰럽게.

한창 사랑받아
마땅할
나이에…….

후우.

많이
힘들었나 보네.

하긴 자기를
없는 사람
취급하는 곳에서

몇 시간 동안
버텨 내라니,
고문이지.

왜 내가 쉽사리
어린 카이텔 옆에서
벗어날 수 없었던 건지.

……이제야 좀
알 것 같아.

……

가슴이
찢어질 듯
아프다.

사람들은
이 어린아이에게
대체 무슨 몹쓸 짓을
하고 있는 걸까.

헤어지는 게
아니야.

어린 카이텔.

내 꼬맹이 아빠.

곁에 있어 주고
싶었어.

되돌아가지 못해도
상관없다고 생각할 만큼
아빠가 안쓰럽고……
사랑스러워서.

안타깝지만 여기 남을 수는 없는 거야.

사랑해, 아빠.

이건 아빠의 꿈이기도 하지만

동시에 내 꿈이기도 하다.

오로지 나만을 위해 만들어진 환영들.

파 아 앙

날 여기에 잡아 놓으려고 만들어진 세계.

하지만 내가 찾아야 하는 아빠는 이런 아빠가 아니야.

덩치도 큰 게 가끔은 애처럼 굴고,

자기 멋대로에 정말 나쁜 놈인 그런 사람이야.

아…… 이렇게 쉽게 사라지는 거였구나.

심지어 딸까지 울리고 말이지.

황제의
외동딸

황제의
외동딸

아빠, 빨리 찾아야 하는데……

지금 어디쯤 있을까?

어두워서 아무것도 안 보여.

계속 이런 상태라면 영영 아빠를 찾을 수 없을지도 몰라.

자박

시간이 지체될수록 아빠는 악몽에서도 가장 깊은 곳으로 끌려가고 말 테니까.

어쩌지?

아……
또 풍경이 변했어.

……피?

핏물로 뒤덮인 땅과 시체들.

이건 또 뭘까.

끈적

……!

아빠…….

잔뜩 벼려진 검처럼 날이 선 모습.

저건 또 어떤 기억 속의 카이텔인 걸까.

내가 닿을 수 없는 아빠의 과거.

바꿀 수 없는 이미 지나온 길.

아마 카이텔의 인생에서도

가장 황폐한 시절이었을…….

아무 말도
건넬 수 없지만
그저 웃어 주고 싶다.

왜인지는
모르겠지만……

어……?

잠깐,
저 아이는?!

꺄ㄹㄹ

저건 나잖아.

……내가 왜
여기에 있지?

나는 그저
그걸 보며 즐기면
되는 거라고
생각했어.

멍청했지.

아니야.
그렇지 않아,
아빠.

처음엔
네가 신기했어.
그러다가 문득 그런
생각을 했다.

이 아이가 나중에 커서
이런 남자의 딸이라는 걸
어떻게 견딜지,
어떻게 살아 나갈지.

도무지 내 눈엔
인간 같지 않은데

꼬물거리는 네가
처음엔 마냥
신기했지.

대체 무슨 말을
해야 하는 걸까.

제대로 말도 못하고
밟으면 그대로
눌려 죽을 것 같은데.

무슨 말을 해야
이 감정을 언어로
다 표현해 낼 수 있지?

네가 쥐여 준 꽃이라는 게 처음으로 향기롭다고 생각하게 되었고,

검 손잡이가 아닌 사람의 손의 따스함을 알게 되었지.

지금 내게 얼마나 엄청난 고백을 하고 있는 건지

아빠는 알까?

그런데 네가 점점 크면서……

네가 자라며 보여 줄 일상이 마냥 즐겁지만은 않게 되더라.

알아. 지지리도 말을 안 들었지.

왜 내 말을 안 듣는지 짜증 나고,

예전과 달리 내가 하는 말에 반박하고 화를 내고.

처음엔 그런 너를 도무지 이해할 수가 없었는데, 그러다가도……

네가 웃으면
아무 말도 못하고
풀어지는 내가
바보 같았어.

무슨 소리야.
바보는 오히려
이쪽인데······.

자식 같은 거,
낳을 생각
없었는데.

짙은 후회가
담긴 목소리.

그냥······
낳지 말았어야
하는데.

그런 나를
아빠는 한결같이
사랑해 주었어.

어떻게 해야
하는 건지도
모르면서.

이런 아빠를
어떻게 버릴 수
있을까.

어떻게
외면할 수 있을까.

어떻게······

사랑하지
않을 수가 있을까.

여기는······

솔레이 궁?

긴 꿈을
꾸고 있었던 것
같다.

분명 눈을
감을 때만 해도
이런 풍경은
아니었는데······.

하아

그래, 이런 게
그리움이라는
것이구나.

죽는다고 해도
이 얼굴을 한 번 더
보고 싶다는
간절함이.

리아의
미소를 보니
알겠군.

내가 이 상황을
얼마나
그리워했는지.

......이런 게,

사랑한다는
거였구나.

몰랐다.
겪어 본 적도
배운 적도 없으니.

Goodbye, Mr (1)

황제의
외동딸

음......

......아주 길고
오래된 꿈에서
깨어난 기분이다.

무척이나 슬프고
가슴 아픈 꿈을
꾼 듯한......

정신이
드셨어요?

돌아왔구나,
정말로.

다행히
열은 없네요.

몸 상태도 아직
안 좋으신데 왜
그렇게 급하게 폐하께
달려가신 거예요?

아빠가
진짜 눈을 떴는지
궁금했을 뿐이야.

그랬는데......
아빠랑 제대로 대화도
나누기 전에

세르이라에게 붙잡혀
다시 내 방으로
끌려와 버렸지.

그리고 이어진
잔소리 폭풍.

방이라도 샐
기세였어.

...근데 일린은
왜 아직도
여기 있어?

그거야...

상심하신
세르이라 님
챙겨 드리고,

공주님
돌봐 드리려고
여기 있지요.

폐하 걱정도 좋지만
가끔은 엄마 걱정도
좀 해 주세요,
공주님.

아......
온통 아빠만 생각하느라
뒤에서 전전긍긍하며
걱정할 엄마를
생각하지 못했네.

이래저래
불효녀구나,
나는.

너무 의기소침해
하지는 마시고요.
세르이라 님은 항상
공주님 편이시니까요.
네?!

......응.

에이, 이렇게 침울해 하시면 안 되죠! 웃으세요! 공주님은 웃는 게 제일 예쁘다고요.

아하하......

이 바보가 언제 이렇게 속 깊은 언니가 되어 버린 걸까.

내가 멈춰 있는 동안 너는 훌쩍 성장했구나.

우리 공주님은 정말 세르이라 님을 닮으셨어요.

안 닮았는데.

세르이라는 너무 허들이 높다고.

그 자비로움에 어찌 내가 감히.

아니에요. 닮았어요. 상냥한 점이라든가, 단호한 점이라든가, 엄격한 점이라든가.

하아.

뭐라는 거야.

아마 공주님께서 보고 배우신 거겠죠?

세르이라 님 옆에서 항상 보고 자라셨으니까요.

뭐, 그렇겠지.
보고 배울 게
엄마밖에 없으니.

물론 시르나
다른 사람들도 있긴 했지만
세르이라만큼 긴 시간을
함께 보내진 않았으니까.

자, 이제
돌아오셨으니까
세르이라 님도 좀
챙겨 주세요.

말은 안 하시지만
속이 상해서 말이
아니실 거예요.

응, 알았어.

아이구, 우리
공주님 착해라.
우쭈쭈!

······이러지만 않으면
얘도 참 좋은 앤데 말이야.

갈아입을 옷을
가져왔습니다.
몸은 좀 어떠세요?

달 칵

엄마!

········.

엄마, 미안.
내가 너무
멋대로 굴었지?

공주님.

왜 그러세요?

근데 있잖아.
나 거기서 아빠를
도저히 그렇게 보낼
수가 없었어.

알아요,
공주님.

결국
공주님 혼자
해내셨잖아요.

내가 멋대로
굴고 있다는 건
알았는데,
그래도……

단지 제가
화가 나는 점은……
그런 공주님에게 제가
아무런 도움도 되지
못했던 거예요.

그렇지
않아.

세르이라가 있었기에
부릴 수 있는
패기였던걸.

뒤에서 지켜봐 주는
엄마가 없었다면
내가 어찌 그런 무모한
일을 벌였겠어?

날 그렇게
할 수 있는 아이로
키워 준 게
엄마잖아.

세르이라가 없었다면
지금 내 이 평온한 삶이
과연 가당키나 했을까.

카이텔과 내 사이가
좋은 건 언제나
세르이라의 부단한
노력 덕이었어.

엄마야말로
우리 둘이 서로를
놓지 않도록 꾸준히
이어 준 사람이니까.

그 고마움을
어찌 말로 다
표현할 수 있을까.

돌아왔어요,
엄마.

...어서 오렴.

아아, 이 따스한
품에 안기니
이제야 돌아왔다는
실감이 난다.

아니, 근데.
대략 사나흘이나
길어 봤자 일주일 정도
꿈속에 있었다고
생각했는데……

드란스테의 경고에 따르면
최소 일주일 안에
눈을 떠야 하는 우리가
계속 깨어나지 않으니

그동안 황궁은
거의 장례식
분위기였다고 한다.

내가
보름 동안이나
잠들어
있었다고?

그렇게나
길게?!

깼을 때 괜히
힘이 없었던 게
아니구나.

궁이
뒤집어졌었겠네.

뒤집어진 정도가
아니라니까요.

공주님,
약 드실
시간이에요~

으아!

올 것이
왔구나.

이 끔찍한 맛의 원기 회복 자양강장제를 도대체 언제까지 먹어야 하는 거야!

빨리 건강을 회복하든가 해야지.

아빠는 어때?

심하진 않아야 할 텐데.

이젠 아득하게 느껴지지만

기적적인 회복을 보이고 계시답니다. 그래도 부상의 정도가 심해 후유증은 있을지 모른다고 하더라고요.

후유증이라니……

내가 아빠를 잃어버릴 뻔했던 아찔한 순간이 불과 한 달도 지나지 않았다.

사실 아직 이 현실이 조금 꿈 같아. 너무 포근하고 아늑해서.

페르델이 그동안 많이 힘써 준 덕이려나.

제가 듣기로는 재상 대행으로 일하시느라 지금 거의 삼 주째 본가로 돌아가지도 못하신대요.

얜 진짜 소문이 빠르단 말야.

이젠 시녀도 아니면서 어디서 듣고 오는 거야?

그나저나 걱정이네.

전 더 이상 재상이 아니거든요.

페르델은 여전히 바쁜가?

왜 재상직에서 잘렸는지 그 이유를 모른다는 것도 마음에 걸리고……

아시시는 아직 이차르타 백작령에 있어?

그 전선에 시토랑 산세가 가 있으니……

대놓고 내색하진 않지만 세르이라도 역시 시토가 걱정되겠지.

어, 왜 그 하벨 황제가 직접 이끄는 군대랑 여전히 대치 중이시래요.

과거에 남편을 잃은 것도 전쟁터였고.

우리가 할 수 있는 거라고는 고작 전군 무사 귀환을 기도하는 것밖에 없다.

평화를 위해서 아그리젠트까지 친히 납셨던 게 아니었나?

아시시가 질 거라는 생각은 들지 않지만 설마 하벨이 그럴 거라고는……

그대로 제법 친하게 지냈던 거 같은데, 그저 내 착각이었나.

정작 페르델은 프레치아의 배반에 너무 평온하고……

온통 알 수 없는 것투성이야. 머리 아파.

호감 정도는 아니어도 호의는 있는 관계라고 생각했는데.

공주님, 그거 아세요? 요새 폐하에 대한 소문이 심상치 않아요.

근데 이 상황은 대체 뭐지?

응? 왜?

많이 달라지신 것 같대요. 뭐랄까, 분위기라든가, 뭐 그런 거 있잖아요.

예전엔 반경 오백 미터 안에만 들어가도 끽하면 죽겠구나 싶은 특유의 날카로움이 있었는데, 요샌 아니신가 봐요.

……그랬나?

그 때문인지 시녀들 사이에서도

세월을 거꾸로 살고 계신 것 아니냐며 더 멋있어지셨다고 아주 난리가 났어요.

날이 서 있던 느낌이 좀 희석되었다고 해야 하나, 많이 달라지셨더라고요.

으음… 그래도 성격은 그대로일 텐데.

그래, 많이 편해 보이시긴 하더라구나.

카이텔이 쌓아 올린 마음의 벽은 쉽게 허물어지는 게 아니니까.

우리가 꿈속에서 겪었던 일은 아주 희미하게만 남아 있지만……

그리고 보니 내가 어마어마한 고백을 받은 건 기억이 나는데,

그게 무슨 고백이었더라?

눈을 뜨자마자 기억이 점점 흐려져서

어쩌면 그게 지금 아빠한테 영향을 미쳤을 거라는 생각이 들어.

이제는 대충 그런 일이 있었던 것만 기억나는 수준……

그런데 왜 폐하는 늙질 않는 거죠? 오히려 나이를 먹을수록 수도의 여심을 더 휘어잡고 다닌다니!

게다가 아시시 님도 공주님 어릴 적 그대로인 것 같아요. 이건 반칙 아니에요?

반칙이라고 말해 봤자 둘 다 콧방귀만 뀔 텐데.

근데 어쩜, 우리 기사님은 청년 때도 아우라가 장난이 아니셨지만

지금의 온화하면서도 약간 음울한 분위기가 더 매력적인 것 같아요.

예전엔 살기가 넘치고 날카로운 느낌이었는데 많이 온순해지셨어요. 어떤 레이디 덕에.

응, 알아. 그게 나인 거.

근데 페르델은 왜 빠져?

어머, 거긴 유부남이잖아요.

게다가 페르델 님은 잘생기긴 하셨지만 솔직히 세기의 미남은 아니시잖아요?

그거… 페르델이 들으면 운다.

분명. 백 퍼센트 확신할 수 있어.

제가 세기의 미남이 아니라면 대체 누가 세기의 미남이란 말입니까!

이러면서 엄청 징징거릴 것 같아.

뭐… 사실 세기의 미남까지는 아닌 거 맞지만……

똑 똑

헉, 페르델?!

……

…몸은 괜찮으십니까, 공주님.

덜 덜

……

드, 들었나?

으아…… 들었구나, 들었어! 딱 걸렸네.

네. 세기의 미남은 아니지만 저는 상냥한 남자니까요.

바로 걸고 넘어지는구나.

바쁠 텐데 내가 걱정돼서 온 거야?

어째 일린의 미래가 살짝 암울해질 것 같네.

세기의 미남은 아니지만 상냥한 데다가 똑똑하고 유능하고 멋지고 천재에다 잘생기기까지 했죠.

......

세기의 미남은 아니지만 집안, 머리, 학벌, 외모, 뭐 하나 빠지는 게 없는 완벽한 남자고요.

알았으니까 그만해.

도대체 언제까지 뒤끝을 보여 줄 셈이냐.

히익

토닥

우린 이만 물러가도록 하자.

아. 그건 그렇고 전해 드릴 말이 있어서 왔습니다.

응? 페르델이 직접?

예, 꽤 중요한 일이라서요.

뭔데 여기까지 친히 납시신 거지?

예감이 좋지 않은데.

내일모레쯤 스헤르토헨보스에서 사신이 도착합니다.

……사신?

예. 스헤르토 말고도 북대륙의 사신들이 꽤 올 예정이라.

근데 왜 나한테 이런 말을……?

단도직입적으로 말씀드리자면

공주님께서 스헤르토헨보스에서 오는 사신을 전담해 주시기 바랍니다.

뭐……?!

스헤르토헨보스 사신을 나한테 상대하라고?

그 거울을?!

굳이 나라를 급으로 나누고 싶진 않지만 스헤르토헨보스는 북대륙을 지배하는 제국.

절대 설렁설렁 대할 수 없는 상대인데.

지금 그런 어마어마한 놈을

이렇게 연약하고 병약한 나에게 맡기겠다는 거야?!

절대로 거절! 이건 못 한다고!!

뭐지.

재상 해임 건도
그렇고

여태껏 봐 왔던
페르델과는 좀
다른 느낌인데······.

역시 뭔가가
있는 걸까.

어쨌든
잘 부탁드립니다.
공주님께서 잘해 주실
거라고 믿어요.

아오,
역시 얄미운
놈이라니까!

하하, 약한
척하시긴.

믿지 마!

황제의
외동딸

오후쯤 도착 예정이라고 합니다.

아, 그래?

기껏 힘 빡 주고 있었는데

준비되자마자 출전이 아니라니, 뭔가 허무하군.

음, 그럼 시간이 너무 애매한데.

그동안 뭐 하고 있지?

폐하라도 뵈러 가시는 건 어때요?

오······.

세르이라, 천잰데?

말 나온 김에 지금 가야겠어.

네. 드레스 체크해 드릴게요.

그러고 보면 아빠한테 가는 것도 오랜만이네.

아빠도 환자고 나도 환자라 그동안은 병문안 금지였으니.

자, 기사님 오셨어요.

어린이는 아직
몰라도 된단다.

뭐, 나중에
페르델을 통해
알아보면 되니까.

그럼
다녀올게.

이게
누나한테?

아무튼 이건
걱정을 해 주려고 해도
지가 걷어차요.

다녀오세요,
공주님.

다녀오세요!

길가에는
푸르른 잎과

눈부신
아침 햇살을 받아
반짝거리는 풍경.

다양한 색채를
뽐내는 꽃들.

언제나 봐 왔던
일상의 풍경이 오늘따라
더 아름답게 느껴지는 건

내가 죽을 고비를
겪고 돌아와서인가?

모르겠다.

단지 이런 세상에서
살고 있는 내가
정말 행운이라는
생각만 들어.

날씨 좋다.
그치?

네, 좋은
날씨예요.

싱긋

와, 리비가
이렇게 웃는 모습은
오랜만인데?

......

힉

푸훗

뭐야, 뒤늦게
쑥스러운 거야?

공주님, 오셨습니까?

오랜만이에요, 르드네 백작님.

폐하께서는 아직 주무시고 계십니다.

이런. 타이밍이 안 좋았네.

아침은 드셨나요?

네, 다 드시고 약까지 드셨습니다.

그도 그럴 게 내가 약을 안 먹으려고 할 때마다 일린이랑 세르이라가…….

폐하께서 드시는 약은 더 쓰답니다.

아시죠? 두 분 다 건강해지시기 전에는 면회 금지라는 거.

이랬으니까.

약 기운 때문에 바로 잠드시긴 했지만 상태는 굉장히 많이 호전되셨습니다.

그런 내가 이렇게 나아서 아빠를 보러 왔는데

정작 아빠님은 자고 있다니.

다행이네요. 그럼 됐어요.

카이텔이 재활에 열심이라는 소리는 듣고 있었지.

……좀 슬픈걸?

저어, 살짝 얼굴만 보고 가면 안 될까요?

예, 그렇게 하시지요.

아, 다행이다!

약이 독하긴 한 모양이네.

그래도 좋아. 일단 얼굴은 봤으니까.

내가 이렇게 가까이 왔는데 용케 안 깨고.

게다가 이렇게 평온하게 자고 있는 아빠를 보니

뭔가 만족스럽기도 하다.

그래, 이 아빠야. 내가 이 장면 보려고 고생 좀 했다고. 알아?!

뭐, 카이텔이 아무것도 몰라도…… 그래도 좋지만.

……자고 있는 아빠를 가만히 보고 있으려니

이런 기분이구나.

후, 어쩌다 내가 이렇게 아빠 바보가 되어 버린 거람.

큰일 났어, 정말.

……으음.

왜 아빠가 항상 잠든 나를 보러 왔는지 그 기분을 알 것도 같아.

말로 설명하긴 어렵지만 뭔가 가슴이 벅찬 그런 기분.

소곤

좀 더 붙어 있고
싶지만⋯⋯
깨우면 안 되니까.

좋은 꿈
꾸세요, 아빠.

부디
이번에 꾸는 꿈은
악몽이 아니길.

점심이 지나고
조금 늦은 오후가
되어서야

드디어 사신 일행이
도착했다는
전갈이 왔다.

아~니~ 왜!
이제 오냐고!

이미 준비고 뭐고
다 흐트러져서
한참 몸도 마음도
해이해져 있는데

이제야 사신을
접대하러 가야
한다니⋯⋯

하지만 마냥 투정을
부릴 수만은 없는 게,

지금 오는 사신님께서 바로
지금 남부에서 하고 있는
전쟁을 끝내냐 마냐를
결정해 주기 때문.

페르델이 뭘 어떻게
구워삶았는지는 모르겠지만
지금 프레치아와 아그리젠트의
극한 대립 상황이 어쩌다 보니
세계적인 문제가 되는
상황에 처했다.

뭐, 카이텔이
이참에 다 죽여 버리겠다며
2차 정복 전쟁을 일으키면
세계적인 문제가
되는 건 맞지만.

다행히 아시시가 전선을 유지해 주어서 더 이상의 피해는 없긴 한데……

이 지지부진한 국지전이 페르델을 미치게 만들고 있는 게 문제랄까.

군 유지에만도 수천만 골드가 들어간다고요!!

재정적인 문제도 그렇지만 나도 빨리 전쟁이 끝났으면 좋겠어.

왜냐면 아시시가 보고 싶으니까! 물론 산세도, 시도도!

아니, 그냥 궁금해서.

그냥 쳐다봤단다, 아가.

?

음, 근데 발르는 진짜 왜 안 간 거지?

죽기 싫어서 몸을 사릴 녀석은 아닌데……

뭘 봐.

역시 수상해. 겨울달 기사를 대기 발령 시킬 수 있는 사람이 이 아그리젠트에 몇 명이나 있겠어?

자, 이제 사신을 접대하러 가볼까.

Goodbye, Mr (2)

황제의
외동딸

두

둥

아…….

오셨군요.
운명의 시간이.

후우…….

아자!
난 잘할 수
있어!

괜찮은
거야?

난 우아하고 예쁘고
똑똑하기까지 한
아그리젠트
공주니까!

리아, 힘내라!
리아, 네가
최고다!

또각

일단 숨 한 번
들이켜고.

최대한
우아하고
아름답게!

아리아드나
공주님
드십니다.

힘내라, 내 안면 근육들아!

어서 오…….

오랜만입니다.

?!!

아, 아힌……?

왓 더 헬! 이게 누구야?

도대체 아힌이 왜 여기에……?!

후계자는 해외로 나갈 수 없다는 규율까지 있을 정도로 엄격한 스헤르토헨보스인데.

이거 혹시
꿈인가?

어버버.

탁

어이,
정신 차려.

공주님,
체통을……

음…….

아, 맞다.
이럴 때가
아니지.

어,

어서 오세요.
먼 곳에서 오시느라
힘드셨을 텐데
머나먼 북대륙에서
이렇듯 발걸음 해 주셔서
감사드립니다.

아버님을 대신해
저, 아그리젠트의 공주
아리아드나가 인사드려요.
환영합니다,
스헤르토헨보스에서 오신
사신분들.

흡족

오 오~ ✧ ✧

그래……
내 연기에
놀랐구나?

훗, 다들
아직 어리군.

역시 제국의
공주님이야.

휴, 이제
마음에 드니?

그럼 머무르실
사신관으로 안내해
드리겠습니다.

환대에
감사드립니다.

…이렇게
재회할 줄은
몰랐는데 말이지.

그래 봤자
아힌의 여유에 비하면
태양 앞의
반딧불이지만.

어쩐지
살짝 들뜨는
기분인걸.

아, 눈부셔.

반가운 얼굴을
만나는 건
항상 즐거우니까.

아, 물론 이성으로
좋아한다는 게 아니라
남자 사람으로!
아니, 남자 빼고
사람으로.

그래, 말하자면
박애적인
좋아함이지.

아, 물론
제외해야 할 사람이
몇 명 있지만.

6황자라든가,
6황자였다든가
말이지.

특히 그게
좋아하는
사람이라면……

난 온 인류를
사랑하니까!

오랜만입니다.

움
찔

예, 정말
오랜만이에요,
예하.

이런,
입 다물고 너무
혼자만의 세계에
빠져 있었나.

날짜로 따지자면
불과 한 달도
안 됐는데

기분상으로는
한 몇 년 만에
만난 느낌이야.

예하…요?

시무룩..

……아.

응?
왜 그러지?

뭐야,
내가 뭐 잘못
말했나?

왠지
섭섭해 하는
얼굴인데?

전엔 이름으로
잘만 부르더니 왜
갑자기 존칭이세요,
공주님?

그놈의 존칭이
뭐라고!

아… 저기, 음,
그러니까……

뭐? 존칭 때문에
떨떠름한 거였어?

오랜만에 뵈니
이름 부르기가
쉽지 않네요.

으아.

저 웃는 얼굴은
볼 때마다 심장에
안 좋다니까.

하……
같이 여행하다 헤어지게
됐을 때에는 아쉬워서
아그리젠트에 초대까지
하려고 했었는데.

공주님?

막상 만나니까
왜 이렇게 어색한
기분이 드는 건지.

마음 같아서는
반갑게 웃으면서
이런저런 이야기도
좀 하고 싶은데……

생각처럼
잘 되지를 않네.

쓸데없이
의식이나 하고.

왜 이러지?
나 이런 여자
아닌데!

…….

그냥 단순히
잘생긴 남자 사람이
옆에 있어서
그런 거야? 응?!

헛, 고뇌하는 사이에 사신관에 도착했다!

이곳이 바로 예하께서 앞으로 지내시게 될 사신관이에요!

다행이야, 드디어 화젯거리가 생겼어!

좋은 곳이군요. 신경 써 주셔서 감사합니다.

아니에요. 당연한 건데요, 예하.

그래, 페르델이 널 얼마나 잘 꼬셔 보려고 이렇게 좋은 곳을 배정해 줬겠냐.

사신관의 위치와 위용을 보니 페르델이 얼마나 단단히 작정했는지 알겠어.

사사로이 따져 보면 페르델이 아힌의 삼촌이 되겠지만……

회담에선 그런 것 없이 스헤르토헨보스를 대표하는 분이셨으니까.

……마음은 그렇지만
이 썰렁한 분위기를
어쩌면 좋단 말인가.

…….

거기다
미래의 권력자가
아니던가!

알아서
잘 보여야지.

망했어…….

이게 다
아힌이 사신으로
와서 그래.

상성이
안 좋다고……!

꼼지락

그래서,

응?

언제까지
예하라 부를
생각이세요?

어…….

황제의
외동딸

알고 있었지?

거물이 올 거라 예상했지만 아힌이 올 줄은 정말 몰랐습니다.

정말이야?

네.

왠지 거짓말 같은데…….

하하, 아니라니까요.

이상하게 이런 부분에선 신뢰감이 확 떨어진다니까.

그나저나 나 어떡해?

아힌을 상대로 내가 무언가를 한다는 건 거의 불가능에 가까운데.

그냥 평소대로 하시면 됩니다. 회담은 제가 진행하는 거니까요. 공주님께선 잘 대접해서 보내 드리는 것만 생각하세요.

그래도…….

어떻게 그래? 이 전쟁이 잘 끝나야 아시시가 내 옆으로 돌아오는데.

어디 그뿐이야? 남부의 백성들도 전쟁의 고통에서 해방될 테고,

어휴.

그래야 우리 아빠도 더 이상 전쟁한다고 나대지 않을 거 아니냐고.

아, 그래도 여기까지 어렵게 발걸음하셨는데

오신 김에 서명이나 하고 가시죠?

쳇.

……넌 요새 날 보면 부려 먹을 생각밖에 안 나더냐.

살짝 짜증은 나지만 이렇게 보니 좀 짠하긴 하네.

항상 깔끔한 인간이 요즘 잠도 제대로 못 자고 일에만 매달려서 그런지 얼굴이 말이 아니야.

이러니까 접견은 전부 나 아니면 시종장한테 시켰겠지.

그래, 불쌍해서 봐준다.

후임은 정해졌어?

멈 칫

페르델이 다시 재상이 될 일은 없을 거라는 걸.

둘 사이에 무슨 일이 있었던 건지 모르겠지만

페르델이 대체 왜 해임당하는 건지 모르겠지만 이거 하나만은 알겠어.

억지를 부릴 만큼 내 나이가 어리지 않다는 게 조금 슬프다.

음, 글쎄요. 제로를 천거하고 물러날 예정입니다만,

그럼 나도 같이 추천해 줄게.

해임당하는 거라 그 효용성이 얼마나 있을지는 모르겠습니다.

그러면 카이텔이 해 주겠지.

이거라도 해 주고 싶어.

카이텔이 움직이며 발생했던 자잘한 외교 문제는 후에 잡음이 나오지 않도록 제 선에서 해결했습니다.

해 줄 수 있는 게 이런 것밖에 없으니…….

아그리젠트에 남아 있던 6황자 잔여 세력도 한층 더 감시를 강화했고요.

뭐, 그렇다고
6황자가 제 발로
아그리젠트에 오진
않겠지만요.

그런가.
그래도 언제고
또 사고를 칠 것
같았는데.

아냐.
약발 떨어지면
올 것 같아.

그 인간이
무모하긴 해도
멍청하진 않아서
안 올걸요.

그래도
막 그렇게 크게
걱정이 되진 않아.

왜지?
아빠가 곁에
있어서 그런가.

앞으로 공주님께서
잘해 주셔야
할 겁니다.

더 잘해 주셔야 해요.
제 후임이 들어오면
국정에 자잘한 혼란은
있을 겁니다.

지금도 충분히
잘하고 있거든.

아무리 다음 재상이
유능하다 해도
저를 따라잡는 건
천재라도 힘들거든요.

아, 네.

그런 의도가 아니라는 건 알지만 여전히 재수가 없네…….

그래서 제로를 추천하고 떠나는 것이기도 하고요.

제가 재상 자리에 머물러 있던 것이 이십여 년 정도이니 하루아침에 새사람이 자리 잡는 건 힘들 겁니다.

아무튼 신임 재상이 들어오면 공주님께서 많은 도움을 주셔야 할 겁니다.

알지, 나도.

아빠가 도와줄 일은 없을 테니까 말이지?

뭐지…….

네, 잘 아시네요.

항상 보던 미소인데 오늘따라 왠지 다르게 느껴져.

이 방에 페르델이
없다는 건……

자그마치
18년.

이 방에서
날 맞이하던 페르델을
마주한 시간이다.

솔레이에 아빠가
없다는 것만큼이나
내게 큰 상실감을
주는 일이니까.

괜찮습니다,
공주님.
쫓겨나는 건
아니니까요.

저 역시 제가
물러날 때가 되었다고
판단했기에 곱게
물러나는 겁니다.

왜?

제가
영원히 사는 건
아니니까요.

그건
알지만…….

물론 페르델이 없는
아그리젠트가 올 거라는
사실은 알고 있어.

하지만
그래도.

슬슬 이 나라도
준비해야죠.

제가 없고
카이텔이 없는
미래를.

영원할 것 같은 현재가
영원히 지속되지
않을 거라는 건
나도 안다.

그래, 인정할 건
인정해야겠지.
그게 인생이라는
거니까.

있잖아,
페르델.

난 어머니고 뭐고
6황자가 무시할 줄
알았는데 엄청
동요하더라고.

결국 그래서
풀려나긴 했는데……
아빠가 그걸 어떻게
알았을까? 페르델은
알아?

아빠가
날 데리러 왔을 때
6황자의
어머니라는 사람을
끌고 왔거든.

그건……
카이텔에게
물어 보세요.

……아빠가 대답해 주지 않을 것 같은데.

페르델도 말 안 해 줄 것 같고.

그것도 페르델이 해임당한 거랑 연관이 있는 건가?

…….

아, 모르겠다. 일단 일이나 하자.

공주님.

응?

아마 제가 재상으로서 공식적으로 끝마치는 소임은

이 전후 처리가 마지막이 될 겁니다.

……응.

제가 물러날 때가 되면, 공주님께서 해임해 주세요.

응? 왜?

......

그러니까 그걸 굳이 내가 해야 하는 이유가 뭐냐고?

페르델이 그냥 재상도 아니고 내 스승님이기도 한데.

공주님 손에 해임당하고 싶습니다.

내가 꼭 해야 돼? 그냥 아빠가 하면 안 돼?

공주님 손으로 파면당하고 싶은데요.

......어?

파면해 줄 수 있는 사람이 널렸는데 굳이 날 고르는 이유가 뭐냐, 이 변태야.

뭐지, 이 변태는?

끄덕

당당하게 끄덕거리기까지?

뭣보다 카이텔이 하는 것보단 공주님 손에 물러나는 게 모양새가 좋습니다.

어쨌든 카이텔은 저를 이 자리에 이십여 년을 있게 한 장본인이니까요.

으음, 그건 또 그렇지.

어쩌면 아빠한테 불이익이 갈 수도 있겠어.

이십여 년 동안이나 이 나라를 맡겼다가 하루아침에 파면하면

꿀 다 빨고 버리는 것처럼 보일 수도 있으니.

사실 그게 맞는 것 같다만······.

알았어. 그냥 파면한다고 하면 되는 거야?

후임도 같이 정해 주셔야죠.

응.

제로도 페르델 옆에서 구른 시간이 있으니 잘하겠지.

그래도 역시······ 서운한 마음은 어쩔 수 없다.

내가 앞으로 포더르에 와서 재상 집무실에 들르면 여기 없는 페르델이 항상 그리울 거야.

그 빈자리가 허전하고 또 그립겠지.

비테르보 영지 멀지 않습니다. 언제든지 놀러 오세요.

황제의
외동딸

황제의
외동딸

그래요.
실례이긴 하죠.

근데
혼자 오는 게
더 실례인데요.

일대일
면담이라니……
이 자리가 심히
부담스럽구나.

산책을 하고
간소하게
먹는다 하여 저 혼자
왔습니다.

초대해 주신 분께서
기다리고 계시는데
저마저 오지 않으면
실례일 것 같아서요.

전에는 이 정도로
가시방석은
아니었는데.

다들 오기 전부터
아그리젠트의
영험한 겨울나무가
보고 싶다고 하더니

희사원에 간 뒤로
그 앞에서 벗어나질
못하시더라고요.

그런데
산책이라니
어디로요?

아,
그러시구나.

그럴 만도 하지.
겨울 정령이
잠든 나무라니
얼마나 경이롭겠어?

여기 사람들도 매료돼서
쉽게 빠져나오지 못하는데
타국의 성직자들은
오죽할까.

자, 이제 어쩐담.
뭔가 대화를 해야
하는 상황인데……

그럼 우선
둘이서라도
식사를 할까요?

예.

만인의 즐겨찾기
대사 1번인
'오늘 날씨 좋죠?'를
시전해 볼까.

근데 이 대사는
너무 널리 알려져서

오면서
전해 들었습니다.

듣는 상대방도
내가 할 말이 없어서
이딴 말이나 꺼내고
있다는 걸 눈치채게 된다는
단점이 있어.

응?

아, 진짜
어쩌지?

안타까운 일이
있으셨다고요.

아…… 썩을 6황자놈
사건 말하는 건가

그럼 이러면 어떠려나.

대신 이번 회담에서 많이 도와주세요.

선뜻

예, 그러겠습니다.

......?! 정말로?

이게 이렇게 쉽게 로비가 되는 사안이었던가!

더 이상 아그리젠트와 프레치아만의 문제는 아니니까요.

근데 여기서 회담 얘기를 꺼내는 건 좀 칙칙하지 않나?

게다가 그 회담을 내가 주도하는 것도 아니라 구체적인 건 잘 모르는데.

이쯤에서 슬슬 말을 돌려야겠군.

뭐, 그건 그렇지만...... 좀 얼떨떨하네.

아그리젠트는 오랜만이시죠?

예.

어릴 땐 자주 왔었다는 것 같던데.

나랑 마주친 것도 그때였으니까.

제 궁이 새로 생긴 것 외에는 전부 같으니까요.

사랑받는 따님이시군요.

많이 달라진 것 같은데, 또 기억 속과는 같네요.

음...... 알고는 있었지만 이렇게 남의 입으로 들으니 쑥스럽네.

그래, 내가 바로 사랑받는 딸이다!

건강은 괜찮으신 겁니까?

그것도 무려 카이텔한테 사랑받는 딸이라고!

네. 아직은 좀 힘들지만 괜찮아요.

오랫동안 의식을 찾지 못하셨다고 들었는데요.

사실 아빠 구한다고 설치다가 그런 거지만……

몇몇 사람 빼고는 자세한 사정은 모르는 것 같아서 다행이야.

궁의 시녀들이 유난을 떨어서 회복은 빠르답니다.

다만 산책도 자주 못 해서 몸이 좀 찌뿌둥한 게 문제라면 문제네요.

저는 크게 다치거나 한 게 아니라서요.

그러시면 식사한 뒤 좀 걸을까요?

어? 정말?!

이게 얼마 만의 산책이냐!

그래도 돼요?

네.

와, 갑자기 들뜨는데?

아힌 같은 중요 인사랑 같이 산책한다고 하면 우리 시녀들도 뭐라고 못 하겠지?

그럼 저 뒤에 희사원이 정말 예쁘거든요. 거기로 가요, 우리.

그럽시다.

내가 떠날 때만 해도
아그리젠트는
햇살이 따사로운
여름이었는데,

다시 돌아오고 나니
어느새 계절은
낙엽이 떨어지는
가을이 되어 있었다.

그리고 이제 곧
겨울이 오겠지.

따라서 겨울을 준비하는
늦가을의 풍경은
아그리젠트에서만
볼 수 있는 진풍경인데

과연 주렁주렁
열매 맺은 나무들을
구경하는 재미가
쏠쏠하달까.

고작 2개월 남짓이지만
중앙 대륙을 통틀어
겨울이 존재하는 나라는
아그리젠트가 유일하다.

이것이 바로
수확을 앞둔 농부의
마음인가.

황실 산책로에 있는 나무가 과일나무면 품위가 떨어진다며 왕실부의 반대가 있었지만

내가 억지로 밀어붙였다.

왜냐!!

과일나무 옆에서 사는 건

백 년 전부터 간직해 온 나의 소박한 로망이었기 때문이지!

멋지잖아요. 좋지 않아요?

사실······.

그럼요. 저 과일들로 잼을 만들어서 먹거나 말들에게 먹이로 주기도 해요.

여기 있는 과일들은 다 먹을 수 있는 겁니까?

물론 내가 지나다니다가 하나씩 따먹는 게 주된 용도지만.

이 모든 게 다 나의 아름다운 디저트를 완성하기 위한 눈물겨운 노력이라 할 수 있지!

우스갯소리로 황실 요리가 맛있는 게 재상님 덕이라면 황실 디저트가 맛있는 건 공주님 때문이라는 말이 생길 정도니까.

후후, 역시 나야!

하나 따 드릴까요?

따는 김에 내 것도 따고.

그래도 되나요?

물론이죠.

쯔쟈

잔!

드세요. 맛있어요.

와······.

아힌이 저런 얼굴도 하는구나. 신기해.

아삭

맛있죠?

네.

맛있다니
흐뭇하네.

이러고 있으니
뭔가 아까보다는
부드러운 분위기가
된 것 같기도 하고.

멋지네요.
아무도 이런 생각
못 할 텐데.

뭘 이런 거
가지고요.

그래, 멋지지.
나도 알아.
내가 좀 멋져.

으음, 이다음
화제는……

공주님은 제가
불편하십니까?

화들짝

……

예?!

아뇨!
절대 아니에요!

그럴 리가
없죠!

아…… 이런.
너무 강하게 부정해 버렸다.

……

……

어색

그래, 솔직히
좀 불편하긴 해.

분명 전엔
안 그랬던 것
같은데……

하지만 얼마 전
그 뽀뽀……
사건도 그렇고,

……

자꾸 나도 모르게
의식하게 되는 걸
어쩌라고.

쉽지
않네요.

외전

Good night, Mr

황제의
외동딸

내 인생에
지대한 영향을 끼친
사람이 세 명 있다.

그중 복잡한
관계라는 건,

아시시, 시르비아,
그리고 카이텔.

카이텔과 나의
이야기다.

그 셋을 빼고선 내 삶을
논할 수 없을 정도로
소중하고 사랑하며
또 그만큼 복잡한 관계.

폐하,
공주님께서
사라지셨습니다!

마차가
뒤바뀌었다는
사실을 이제야
알다니.

카이텔, 일단
진정하고……

닥쳐,
페르델.

이런.

주, 죽을죄를
지었습니다,
폐하.

이미 아그리젠트로
돌아가는 배에
도착했는데.

나로서는
역부족이군.
피를 보겠어.

괜찮다고
말해 주고 싶지만
차마 입이
떨어지질 않네.

일단
유프레치아에 있는
아그리젠트
영사관으로 가자.

자리를 비운 지도
벌써 두 달.

설마
별일이야
있겠어.

당장 카이텔이
멋대로 대륙 횡단을 하며
엉켜 버린 외교 문제는
둘째 치고,

불안하지 않다면
거짓말이지만……

나라도 정신을
차려야 해.

밀려 있는 국정이
얼마나 많을지……

만약 복귀한다면
한 달은 꼼짝없이 관저에만
처박혀 있어야 하겠지.

……어휴.
내 꼴이 어쩌다
이렇게 됐나.

카이텔을
처음 마주한 건
일곱 살의 어느 날.

차가운 겨울날,

파티의 화려한 조명이
닿지 않는 정원
한구석에서였다.

이반 황제의
14번째 황자.

적통의 피를 가졌으나
이미 권력 싸움에서 밀린
버림받은 황자.

어린 나이였지만
나는 알 수 있었다.

애초에
아시시가 없었다면
만나지도
않았을 녀석.

시르비아가
아니었다면 신경도
쓰지 않았을 녀석.

관심도 없고
애정이라고
부를 수 있는 건
더더욱 없어.

저 녀석하고는
정말 안 맞을
것 같아.

그랬다고
생각했다.

카이텔의 궁이
불에 타고
그가 실종되지
않았더라면.

그것만 아니었다면
카이텔과 둘만 엮일
일도 없었을 텐데.

그리고
그로부터
육 년 후,

나는……

카이텔?

죽은 줄로만 알았던
카이텔이 다시
황궁에 나타났을 때,

어째서
이 녀석이
여기에……

이렇게밖에
할 수 없었어.

……카이텔,
넌 완벽한
황제야.

이런 상황에서
갑자기 무슨
헛소리냐.

그래, 황제로서
소양이나 능력,
그 어디에도 흠잡을 데
없이 완벽하지.

근데 너에게는
한 가지 치명적인
단점이 있어.

넌 이 나라를
생각하지 않아.

애초에 카이텔은
6황자를 죽이기 위해
황제가 된 거였다.

알고는 있었어.
아그리젠트라는 나라에 대해
생각하고 고민하고,

이 나라를 좀 더 좋은 곳으로
만들기 위해 애쓰는 건
나밖에 없다는 걸.

황제가 된 이후로는
6황자가 살아 있었기에
이 나라를 돌아보았다.
다시 뺏기지 않기 위해.

다들 다른 곳을
쳐다보는 것쯤은 알고 있었고,
그걸 이용해 왔던 것 역시
나니까.

하지만 내 위에
유일하게 있는 황제마저
그렇다는 건……

이 나라의 주인 역시
그렇다는 건,
쉽사리 수긍할 수 없어.

만약
리아가 죽었다면
너도 죽는다.

…….

리아…….

물론 리아가 죽는다면
나 역시 제정신으로
버틸 수는 없겠지.

이렇게 되길
바라지는
않았어…….

그래도 6황자가
미치지 않았다면

제 손에 들어온
마지막 기회를
그냥 날려 버리지는
않을 거야.

카이텔 또한
그 사실을 알고
있을 테고.

재상 페르델을
해면시킨다.

뭐, 이렇게까지 말을 하는데 어쩔 수 없나.

이제 내 손을 떠났네.

하아…… 알았다고.

애초에 이건 내가 해결할 게 아니었으니까.

그냥 아그리젠트끼리 지지고 볶는 걸 보는 수밖에.

재상님, 왜 이제 오셨어요!

밀린 결재 서류가 벌써 한 무더기입니다.

어, 그래.

일단 제일 급한 세금 문제부터 처리해 주세요!

재상님, 이 문제도 아주 급한 건데……

오랜만에 집에 가서 발 닦고 푹 쉬며 사랑하는 가족들과 오순도순 지내고 싶었거늘.

나 이제 재상 아닌데.

직접 마주했을 때
느낌으로는

프레치아 황제가
그동안의 일을 그냥
넘어가지는 않을 거라
생각했는데…
제대로 일을 쳤군.

그나저나
타이밍이 너무
절묘한데……

시오른
그 뱀 같은 놈이
설마 그새 하벨 황제와
거래를 한 건가?

랑그르 사막에서
얌전히 숨이나 죽이고
있을 것이지.

하기야 랑그르 자체가
아그리젠트를 별로
좋아하지 않으니, 어쩌면
셋이 모종의 서약을 맺고
일을 도모했을지도.

하지만 너무
희박한 가능성에
도박을 건 게 아닌가.

달칵

이대로
아그리젠트를
치기엔…….

발르?

웬일로 재상
집무실까지.

황제의
외동딸

하지만 누군가는 해야 하는 것을 하는 자리다.

이 자리는 아무도 볼 수 없는 걸 보고, 누구도 생각할 수 없는 걸 생각해야 하는 자리야.

우리가 이렇게 고뇌하고 결정한다고 해도 아무도 알아주지 않는 자리지.

그래야 좀 더 먼 미래를 볼 수 있고, 바뀔 수 있고, 변하면서 일어나는 혼란을 막을 수 있어.

그동안의 아그리젠트는 너무 급격하고 큰 변화를 겪었지만……

앞으로의 아그리젠트는 달라져야 하니까.

해낼 수 있겠어?

……각하.

영 내켜 하지 않는 기색이군.

하지만 내가 이 자리에서 물러나는 건 이미 예정된 사실이다.

카이텔이
어떤 결론을 내서
돌아오건,

이 일이 일어난 것은
공식적으로든
비공식적으로든
내 책임이니까.

장차 이 나라가
나 없이 굴러가려면
많은 혼란이 있을
수밖에 없다.

다만⋯⋯
아그리젠트의
모든 정책이 내 손과
머리에서 나왔고,

이 땅에 사는
모든 사람이
내가 만들어 놓은 법전을
따르며 살았는데

과연 그런 나라에서
내가 은퇴를
한다고 해도

그게 진정한 의미의
은퇴가
될 수 있을까?

똑똑
똑똑

각하, 비테르보
백작부인께서
오셨습니다.

시르비아가?

두 달 동안
해외에 나가 있다가
겨우 돌아와 놓고 집에도
들어오지 않는 남편을
뵈러 왔습니다.

그동안 바빠서 식사도 제대로 못 챙겨 드셨죠?

좋아하시는 걸 좀 만들어 왔어요.

그러고 보니 한동안 제대로 된 식사를 하지 못했던 것 같기도…….

싱긋

분명 무척 어려운 고민을 하고 있는 거죠?

그런가.

응. 어떻게 알았어?

얼굴에 다 쓰여 있어요.

남들은 다 내 생각을 모르겠다고 불평하는데 시르만큼은 다르구나.

……응.

이제 와서 다시
선택하게 된다고 해도
나는 같은 길을
걷게 될 테지.

하지만 그 과정이
결코 자랑스럽지
않다는 건 알고 있어.

이유가 있는 건
맞지만…….

카이텔과 공주님이
받아야 했던
상처도…….

그럼
됐어요.

어찌 사랑하지
않을 수가 있을까.

시르가 이렇게
말해 줄 것을
알고 있었는데.

막상 마주하니
넘치는 감정을
주체할 수가 없다.

이 자리에
앉아 있는 당신을 보면
항상 생각했어요.

어쩌면 당신에게
내가 너무 큰 짐을
지운 것이 아닐까.

그럴 리가.

그 모든 것이
봄날에 눈이 녹듯
사그라진다.

내 부탁이라면
무리를 해서라도
항상 들어주려고
애를 쓰니까

내가 너무 멋대로
어리광을 부린 것이
아닐까 하고요.

미미하게
남아 있던 불안, 걱정,
가끔씩 튀어나와
머리를 복잡하게 하던
고민…….

그래도 항상
그런 생각을
했어요.

이런 걸 해낼 수
있는 사람은,

이 세상에
단 한 사람밖에
없어.

근데
말이죠,

그랬던
건가.

당신이 만들어 준
우리나라는 제가
생각한 것보다 공정하고
평화로워서……

조금만 더 당신이
이 자리에 앉아 있기를
바라고 바랐어요.

항상
밖으로만 나돌아
미안했는데.

일 때문에
황도에 묶여
외가에도 쉽게 가지
못했고…….

그동안
고생했어요.

이제 쉬어도
돼요.

고마워요.
페르델.

아.

이 한마디를
듣기 위해

내가 그렇게
아웅다웅했던
거구나.

그래.
그랬던 거였어.

하나만
약속해 줘요.

나중에 태어날
우리 아이들에겐
더 괜찮은 세상이
기다릴 거라고.

그 명령을 제가
어찌 거역할 수
있겠습니까.

온 세상을
갖다 바치라 해도
기꺼이
갖다 바칠 텐데.

소설에 나오는
기사들이
이런 기분이었을까?

내가 기사는 아니지만,
눈앞의 소녀 역시
공주는 아니지만.

무슨 일이 있어도
꼭 지켜 달라는 요청을
받은 기사 같다는
생각을 했다.

그래.

하지만 그게
아니라도—

기꺼이 전부를
바칠 각오가
되어 있어.

약속할게,
시르비아.

Bonus

❖ 황제의 외동딸 캐릭터 소개 ❖

◆ 시르비아 세루 아퀼레이아

직업 백작부인. 남편은 페르델.
지위 비테르보 백작부인.
아퀼레이아 영양.
아리아드나의 대모.
신분 비테르보 백작부인.
(곧 후작부인으로 승계 예정)

생김새 머리카락 눈동자 둘 다
벚꽃 같은 색채.
굳이 뽑자면 연핑크. 안티크 화이트.
머리 길이는 땅에 끌릴 정도로 긴데,
거의 틀어 올리고 있다.
인상 자체가 성녀.

특이사항 성녀.
좌우명 인생은 아름답다.

◆아시시 로에바른 자바이칼

겨울달 기사단장. 카이텔의 검은 기사.
아리아드나의 수호 기사.

직업 겨울달 기사.
지위 겨울달 기사단장.
아리아드나 공주 수호 기사.
신분 자바이칼 백작.

생김새 청금발 녹금안.
전체적으로 부서질 듯한 얼음 조각의 이미지.
검을 연마하는 데 방해되기에 머리카락은
목을 덮는 길이 이상으로 기르지 않는다.
무뚝뚝한 데다 워낙 전쟁터를 전전해서인지
표정에 생기가 없다. 외모는 웬만한 여자들보다 예쁨.
표정 변화가 거의 없고 말도 없고 그냥 없다.

특이사항 강아지.
좌우명 삶은 끝없는 고통의 연속이다.

안녕하세요. 리노입니다.

13권은 표지에 아힌이 단독으로 등장합니다!
(리아도 단독 표지가 없는데..)
마음에 드셨으면 좋겠습니다.

다음 권도 잘 부탁드려요!

2023년 3월
리노

VS

리아에게 무시무시한 폭탄발언을 날린 하벨!

그런 하벨을 견제하는 아힌!

두 남자를 생각하기만 해도 피곤한데, 다시 시작된 아빠의 과보호까지…!
"이 남자들이 정말 나한테 왜 이래!"

✦✦ **13권에서 만날**
그들의 이야기를 기대해 주세요!! ✦

황제의 외동딸 12

초판 발행 2023년 3월 17일

만화 리노
원작 윤슬

펴낸이 이왕호
본부장 곽혜은
편집팀장 장혜경
책임편집 구유희
디자인 크리에이티브그룹 디헌

국제업무 박진해, 전은지, 유자영, 박이서, 남궁명일
온라인 마케팅 박선혜, 김경태, 박서희
영업 조은걸
관리 채영은
물류 최준혁

펴낸곳 (주)디앤씨웹툰비즈
출판등록 2020년 12월 9일 제25100-2020-000093호
주소 서울시 구로구 디지털로26길 123 지플러스타워 1305~8 (08390)
대표전화 (02)853-0360 **팩스** (02)853-0361
전자우편 book@dncwebtoonbiz.com
블로그 blog.naver.com/dncent

ISBN 979-11-6777-078-3 07810
　　　979-11-91363-06-7 (set)